Éditions Flammarion (N°0999) - 87, quai Panhard et Levassor 75647 Paris Cedex 13
www.editions.flammarion.com
Dépôt légal : janvier 2000 - ISBN : 978-2-0816-0999-0
Imprimé en France par Pollina s.a, 85400 Luçon - n° L47819
Loi n°49-956 du 16 juillet 1949 sur les publications destinées à la jeunesse

roule galette...

Raconté par Natha Caputo
Imagerie de Pierre Belvès

Père Castor ■ Flammarion

Dans une petite maison,
tout près de la forêt,
vivaient un vieux et une vieille.
Un jour le vieux dit
à la vieille :
– J'aimerais bien manger
une galette...
– Je pourrais t'en faire une,
répond la vieille, si seulement
j'avais de la farine.
– On va bien en trouver
un peu, dit le vieux.
Monte au grenier,
balaie le plancher,
tu trouveras sûrement
des grains de blé.

– C'est une idée, dit la vieille, qui monte au grenier,
balaie le plancher et ramasse les grains de blé.

Avec les grains de blé elle fait de la farine ;
avec la farine elle fait une galette,
et puis elle met la galette cuire au four.

Et voilà la galette cuite.
– Elle est trop chaude ! crie le vieux.
Il faut la mettre à refroidir !

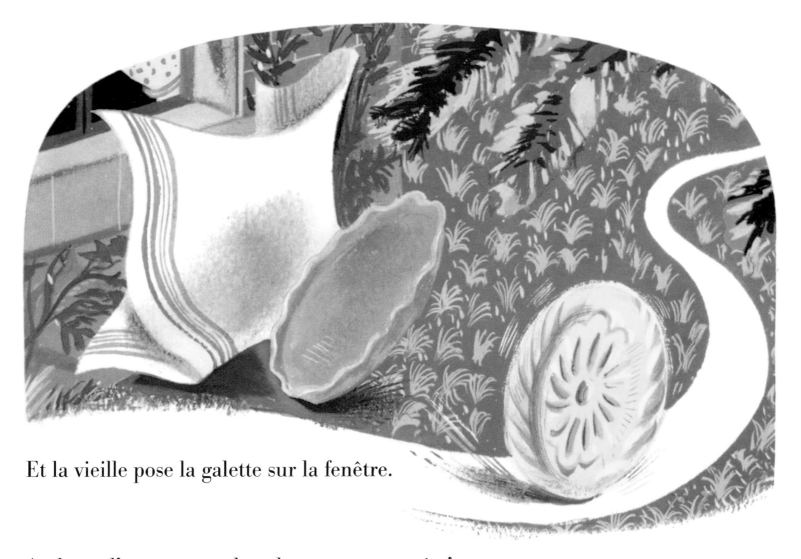

Et la vieille pose la galette sur la fenêtre.

Au bout d'un moment la galette commence à s'ennuyer.
Tout doucement elle se laisse glisser du rebord de la fenêtre,
tombe dans le jardin et continue son chemin.

Elle roule, elle roule toujours plus loin...

et voilà qu'elle rencontre un lapin.

– Galette, galette, je vais te manger, crie le lapin.
– Non, dit la galette, écoute plutôt ma petite chanson.

Et le lapin dresse ses longues oreilles.

Je suis la galette, la galette,
Je suis faite avec le blé ramassé dans le grenier.
On m'a mise à refroidir,
Mais j'ai mieux aimé courir !

Attrape-moi si tu peux !
Et elle se sauve si vite, si vite

qu'elle disparaît dans la forêt.
Elle roule, elle roule dans le sentier...

et voilà qu'elle rencontre le loup gris.

– Galette, galette, je vais te manger, dit le loup.
– Non, non, dit la galette,
écoute plutôt ma chanson.

Je suis la galette, la galette,
Je suis faite avec le blé ramassé dans le grenier.
On m'a mise à refroidir,
Mais j'ai mieux aimé courir !

Attrape-moi si tu peux !
Et elle se sauve si vite, si vite

que le loup ne peut la rattraper.
Elle court, elle court dans la forêt...

et voilà qu'elle rencontre un gros ours.

– Galette, galette, je vais te manger,
grogne l'ours de sa grosse voix.
– Non, non, dit la galette,
écoute plutôt ma chanson.

Je suis la galette, la galette,
Je suis faite avec le blé ramassé dans le grenier.
On m'a mise à refroidir,
mais j'ai mieux aimé courir !

Attrape-moi si tu peux !
Et elle se sauve si vite, si vite

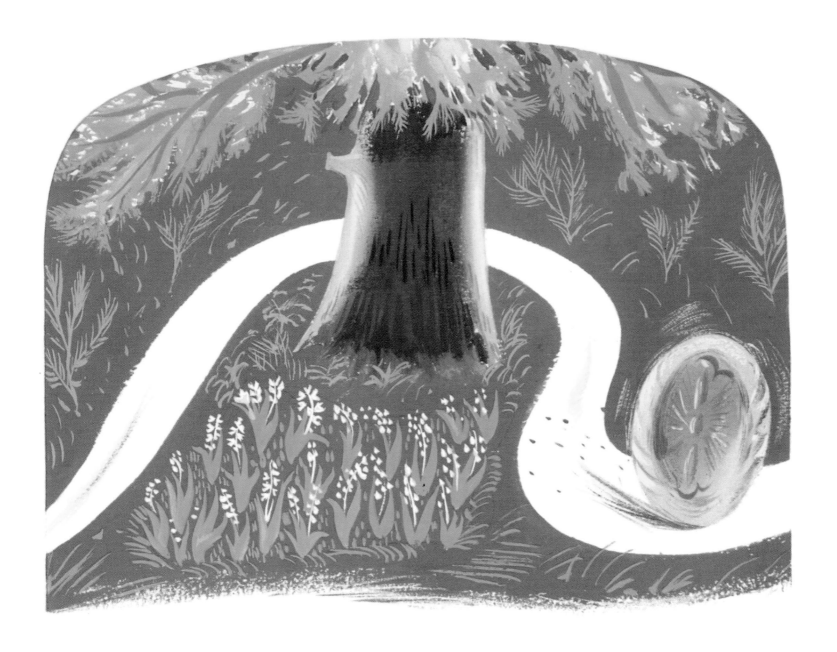

que l'ours ne peut la retenir.
Elle roule, elle roule encore plus loin...

et voilà qu'elle rencontre le renard.

– Bonjour, galette, dit le malin renard.
Comme tu es ronde, comme tu es blonde !

La galette, toute fière, chante sa petite chanson et,
pendant ce temps, le renard se rapproche,
se rapproche, et quand il est tout près, tout près...

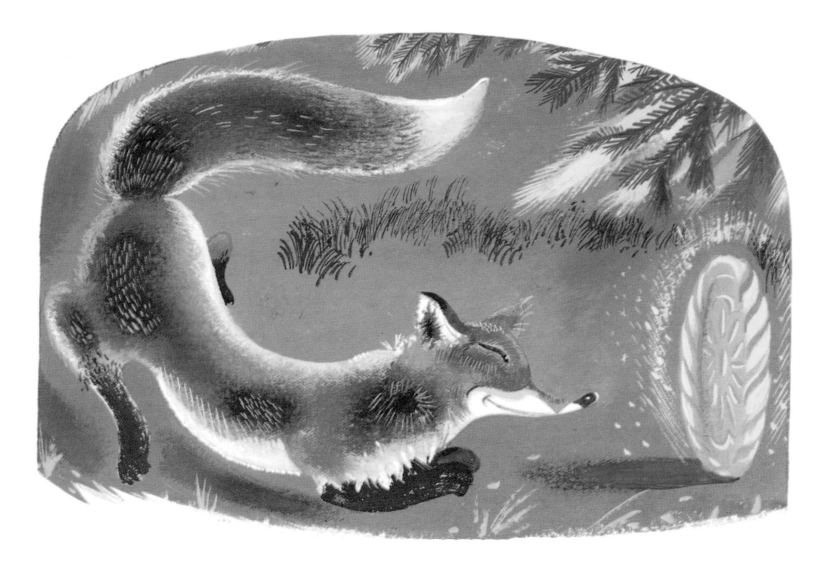

il demande :
— Qu'est-ce que tu chantes, galette ?
Je suis vieux, je suis sourd,
je voudrais bien t'entendre.
Qu'est-ce que tu chantes ?

Pour mieux se faire entendre,
la galette saute sur le nez du renard,
et de sa petite voix elle commence :
Je suis la galette, la galette,
Je suis faite avec le...

Mais, HAM !... Le renard l'avait mangée.